Dyg a Dêf Diawledig
Gwyn Morgan

Er cof am
Anti Margaret ac Anti Olive,
dwy a ddylanwadodd yn fawr arnaf.

Cyhoeddwyd gan Wasg y Dref Wen,
28 Ffordd yr Eglwys,
Yr Eglwys Newydd, Caerdydd CF14 2EA
Ffôn 029 20617860

Mae'r cyhoeddwr yn cydnabod cefnogaeth ariannol
Cyngor Llyfrau Cymru.

Argraffwyd ym Mhrydain.

Dyg a Dêf Diawledig

Gwyn Morgan
Lluniau gan Dai Owen

DREF WEN

Pennod 1
Jim Pob Dim

"Rwyt ti'n gweld y da ym mhob dim," meddai Wizz.

Wizz oedd merch Jim a Pat Ferago neu Jim a Pat Pob Dim. Roedd Jim Pob Dim wyneb i waered â'i gefn at y wal ar y pryd.

"Rwyt ti'n swnio fel dy fam," meddai Jim.

Roedd gan Jim Pob Dim fusnes gwerthu moddion. Gwerthai ei foddion ym marchnadoedd bychain ledled y wlad. Dim ond hwb, cam a naid i ffwrdd oedd y ffair heddiw – yng Nghaerwennol.

"Mae'n bryd imi bacio'r fan," meddai Jim.

Roedd Pat eisoes yn siarad a'i chathod, Teigris ac Ewffrates, am bwysigrwydd cydbwysedd mewn bywyd. Roedd hi'n gofalu am ei phlanhigion yn y tŷ gwydr.

Canodd ei ffôn.

"Jamie iti, Wizz," gwaeddodd Pat.

Eisteddai Dyg a Dêf Diawledig yn eu cegin frwnt, seimllyd. Cerddai morgrug ar hyd y bwrdd. Uwch eu pennau crogai llwyth o weoedd pry cop yn llawn o glêr, yn aros i gael eu bwyta. Doedd yr un ohonyn nhw wedi golchi ers cyn cof.

"Dw i'n dal i wisgo'r un dillad a wisgais i ddeng mlynedd yn ôl," meddai Dyg.

"Dw i'n gwisgo'r un pants ers pymtheng mlynedd," meddai Dêf. "Fi ydy'r mwyaf drewllyd."

Treuliai'r ddau y diwrnod gyfan yn gwylio'r teledu, yn chwarae gêmau cyfrifiadur ac yn meddwl am bethau drwg i'w gwneud. Byddai'r ddau yn cael cystadlaethau torri gwynt nes eu bod nhw'n chwerthin fel pobl wyllt. Byddai pobl yn cerdded y ffordd arall pan fyddai Dyg a Dêf Dialwedig yn agosáu atyn nhw.

Y bore hwnnw roedd y ddau yn cweryla ynglŷn â phwy fyddai'n diffodd y teledu.

"Hy," gwrgnachodd Dyg gan bwyntio at y teledu.

"Diffodd e!" cwynodd Dêf. "Dy dro di yw e i'w ddiffodd."

"Nid fy nhro i," gwaeddodd Dyg. "Fi wnaeth ddiffodd e ddoe."

"Fi wnaeth ddiffodd e ddoe," sgrechiodd Dêf. "Fi! Fi! Fi."

"Babi Mami," meddai Dyg.

"Babi drewi!" meddai Dêf.

"Mochyn cwta," meddai Dyg.

"Dillad isa," meddai Dêf.

Pan glywodd Dyg y geiriau "dillad isa", ffrwydrodd fel bom. Gafaelodd yn y teledu a'i daflu allan drwy ffenest yr ardd.

"'Na fe," meddai Dyg. "Hapus nawr?"

"Ti wedi torri'r teli-weli," meddai Dêf.

"Ac wedi torri'r ffenest," meddai Dyg.

Disgynnodd tawelwch dros y lle.

"Rhaid dwyn teli-weli arall nawr," meddai Dêf.

"Cartref hen bobl," meddai Dyg.

Pennod 3
P.C. Fflat

Roedd PC Fflat yn chwilio'r we am wybodaeth bellach.

"Mae'n bryd iti hoelio un neu ddau o ddrwg-weithredwyr Caerwennol," meddai Rhingyll Pod.

"'Dyn ni ddim wedi gallu hoelio'r brodyr Diawledig," meddai PC Fflat. "Maen nhw'n bla yn y gymdogaeth."

"Sdim byd yn bod ar Dyg na Dêf," meddai Rhingyll Pod. "Y ceiswyr lloches sy'n mynd dan fy ngroen i. Nhw sy'n bla."

"Mae'r rhan fwyaf ohonyn nhw wedi gorfod ffoi o sefyllfaoedd trychinebus," meddai PC Fflat. "Mae llawer o bobl dramor wedi gorfod ffoi rhag rhyfeloedd cartref yn eu gwledydd."

"Anfonwch nhw adre, ddyweda i," meddai Rhingyll Pod.

"Mae pobl yn rhy ofnus i gwyno am y brodyr Diawledig, neu mi fyddan nhw'n cael eu bygwth a'u herlid ganddynt," meddai PC Fflat.

Pennod 4
Jamie

Eisteddai Wizz yn fflat bach Jamie. Roedd y ddau yn chwarae dominos.

"Dominos yw'r unig gêm mae Mam-gu yn gallu chwarae," meddai Jamie.

"Mae'n curo fi bob tro," meddai Wizz.

Mam-gu

Gwenodd mam-gu Jamie o'i chadair. Doedd hi ddim yn gallu siarad Cymraeg na Saesneg eto ond roedd hi'n falch iawn o gael aros mewn gwlad a oedd yn croesawu ceiswyr lloches.

"Oes newyddion eto?" gofynnodd Wizz.

"Dim ond bod yr apêl yn mynd yn ei blaen," meddai Jamie. "Ond mae'r aros yn drybeilig o anodd. Fedrwn ni ddim mynd yn ôl i'n gwlad ni i fyw."

"Gyrrodd Dad lythyr o gymeradwyaeth at yr Aelod Seneddol," meddai Wizz.

"Dw i'n gwybod, ac r'yn ni'n ddiolchgar iawn," meddai Jamie. "Ond mae popeth yn nwylo'r awdurdodau."

Pennod 5
Antur y Parc

Roedd Dyg a Dêf ar ei ffordd i'r parc. Roedd ffair yno.

"Twpsyn!" gwaeddodd Dyg ar rywun oedd yn eistedd ac yn yfed ei de. Chwarddodd fel hiena.

"Corrach," gwaeddodd Dêf ar ddyn bach ei faint. Chwarddodd Dêf fel mwnci.

"Hi! Hi!" meddai Dyg. "Beth yw'r stondin ych a fi 'na?"

Roedd Wizz wrthi'n hongian tusw o saiets ar far y stondin. Gwelodd ddau ddyn boliog yn dod ati.

"Hei, sguthan!" meddai Dyg. "Beth sy gen ti fan'na?"

"Esgusodwch fi!" meddai Wizz.

"O la-di-da-di-da," meddai Dêf. "Mae 'da ni *un* yn fan hyn."

Teimlai Wizz yn ofadwy o ofnus wrth weld Dyg a Dêf. Roedden nhw'n ymosodol iawn.

"Ga i'ch helpu?" gofynnodd Jim, gan agosái at Wizz.

"Be 'dach chi'n gwerthu, ddyn?" gofynnodd Dyg yn gellweirus. "Mae'n gwestiwn eitha syml."

"Digon syml i orang-wtan fedru ei ateb," meddai Dêf.

"Perlysiau a moddion i uno'r ysbryd, corff a'r meddwl," meddai Jim yn dyner.

"Stwff mambi-pambi," meddai Dyg.

"Stwff Beti-pais merched," meddai Dêf. "Stwff Mam a spam."

"Stwff pais a phots," meddai Dyg. "Dyna be ydy e."

"Os mynnwch chi," meddai Jim. "Ond mae Wizz a fi'n credu bod gwerth a rhinwedd ynddynt."

"Be?" gofynnodd Dêf. "Be sy'n bod arnoch chi, dyn? Dach chi ddim yn siarad yn normal."

"Mae e'n siarad fel parot ysgol feithrin," meddai Dyg wrth Dêf.

"Yn siarad fel mae pilipala'n hedfan," meddai Dêf.

"Stopiwch hi," meddai Wizz.

Roedd hi'n ddig gyda'r ddau. Doedd neb yn mynd i wneud ffŵl o'i thad yn ei chwmni hi.

"Pwy wyt ti'r baw dan draed?" gwaeddodd Dêf.

"Hei," meddai Jim. "Mae'n bryd i chi fynd o' ma. Neu mi gysyllta i â'r heddlu."

Ar y gair, cydiodd Dêf mewn tusw o saets a'i ysgwyd yn ffyrnig dros Jim.

"Ydy'r ffisigwr mawr yn hoffi peth o'i ffisig ei hun?" gofynnodd Dêf.

"Falle fydd e'n siarad yn fwy cwrtais 'da ni," meddai Dyg. "Ac yn siarad yn fwy normal fel dyn go iawn."

Chwarddodd y ddau yn afreolus wrth redeg ar hyd y stryd i gyfeiriad Gerddi Soffia er mwyn chwilio am fwy o drafferth.

Pennod 6
Fflat a Phod

Cododd PC Fflat y ffôn yn swyddfa heddlu Grangetown.

"Helô," meddai.

Gwrandawodd am amser hir ar y person ar ben arall y llinell fôn.

"Ga i'ch enw?" gofynnodd PC Fflat.

Rhoddodd y cwnstabl y ffôn i lawr ar unwaith.

"Mae'r sefyllfa mor rhwystredig," meddai PC Fflat. "Person arall yn cwyno am ymddygiad gwrth-gymdeithasol ac fe wyddwn ni pwy yw'r troseddwyr."

"Heb enw fedrwn ni ddim mynd â'r mater ymhellach," meddai Rhingyll Pod. "Ond 'drychwch ar dudalen flaen *Y Cymro*."

Estynnodd y rhingyll y papur wythnosol i PC Fflat.

Darllenodd y frawddeg gyntaf yn uchel.

"Mae teulu Jamie yn aros i glywed gan y Swyddfa Gartref beth fydd eu tynged. Mae'r teulu wedi ymgartrefu yng Nghaerwennol ers blwyddyn."

"Dw i'n nabod y teulu," meddai PC Fflat. "Pobl neis iawn."

"Efallai eu bod nhw'n neis, ond *ni* sy'n eu cadw," meddai Rhingyll Pod yn wyllt.

Pennod 7
Dilyn Wizz

Roedd Clwb Gwaith Cartref Wizz a Jamie yn cael ei gynnal ar bnawn dydd Mercher. Roedd y ddau wrth eu bodd yn gorffen eu gwaith ac yna'n mynd draw i barc y Rhath.

Canai'r titwod a hedfanai'r drywod bychain o un picnic i'r llall yn bwyta'r briwsion. Roedd y gwenoliaid yn gweu eu ffordddrwy'r awyr fel sisyrnau wrth hel y clêr a'r pryfed mân. Roedd e'n llun delfrydol.

Ond torrodd rhywbeth ar draws y llonyddwch. Clywodd pawb waedd o gyfeiriad y llyn.

"Na!" gwaeddodd y fenyw. "Peidiwch da chi!"

Gwelodd Wizz y peth rhyfeddaf. Roedd Dyg a Dêf Diawledig yn rhoi ci bach mewn cwch. Gwthion nhw'r cwch o ochr y llyn i'r canol. Roedd y ci bach yn sownd yn y cwch. Roedden nhw wedi'i glymu gerfydd ei dennyn.

"Tricsi!" meddai ei berchennog. "Dere nôl at Mami."

"Fydd Tricsi ddim yn dod yn ôl at Mami am sbel," chwarddai Dêf.

"Ta ta Tricsi fach," meddai Dyg yn wawdlyd. "Gobeithio na foddi di."

"Hei!" gwaeddodd y swyddog cychod. "Be sy'n digwydd?"

"Mae Tricsi wedi dwyn cwch a heb dalu amdano," meddai Dêf.

Chwarddodd y ddau a bant â nhw i greu trafferth i rhywun arall.

"Dyg a Dêf Diawledig," meddai Wizz. "Maen nhw'n ben tost."

"Dw i wedi clywed amdanyn nhw," meddai Jamie. "Maen nhw wedi bod yn galw enwau cas

ar rai o fy ffrindiau. Mae eisiau cweir arnyn nhw."

"Dwed wrth yr heddlu," meddai Wizz.

"Fedrwn ni ddim creu helynt neu fe allai effeithio ar ganlyniad yr apêl," meddai Jamie.

Trodd Wizz ei chefn a dechrau cerdded. Dilynodd Jamie hi. Doedd y ddau ddim wedi sylwi bod Dêf wedi'u gweld drwy gornel ei lygad.

"Hei! Nage honna yw merch Mr Peraroglau?" gofynnodd e.

"Dw i'n credu dy fod ti'n gywir," meddai Dyg. "Ac mae bwch bach o dramor yn mynd gyda hi yn ôl i'w thŷ."

"Dw i'n arogli sbort," meddai Dêf.

"Lot fawr ohono," meddai Dyg. "Yn enwedig gyda Miss Peraroglau a'i syniadau hynod."

"Teulu La-di-da-di-da a'i merch, Miss La-di-da-di-da," meddai Dyg.

Yna, canodd Dêf:

"Mr Peraroglau,

Mr Peraroglau,

Mr Peraroglau

La-di-da-di-da."

"Cawn ni weld ble ma'r La-di-da-di-da's yn byw," meddai Dyg.

Dilynodd y ddau frawd Wizz yn ôl i'w thŷ.

Pennod 8
Bwlis

"Pan fydd bwli yn gweld ei sglyfaeth, fydd dim diwedd ar ei greulondeb," meddai PC Fflat iddo'i hun.

Roedd y cwnstabl wedi gweld cymaint ohonyn nhw'n diengid o afael y gyfraith.

Eisteddai o flaen sgrin y cyfrifiadur yn ei dŷ. Roedd yn darllen cyffesion pobl a oedd wedi dioddef am flynyddoedd ond a oedd yn rhy ofnus i reportio'r bwlis i'r awdurdodau. Roedden nhw wedi dioddef yn dawel am flynyddoedd heb ddweud yr un gair wrth neb.

Pennod 9
Difrod

Pan gododd Jim y bore wedyn am 6.45 a.m. i ganiad y larwm, cerddoriaeth jazz oedd yn cael ei chwarae. Arhosodd yna yn ôl ei arfer am bum munud, tan 6.50 a.m. Gwisgodd ei ŵn gwisgo a'i sliperi o blu gŵydd a mynd i lawr y grisiau.

Trodd swits y tegell ymlaen ar ôl iddo'i lenwi â dŵr. Rhoddodd ddau fag o de gwyrdd yn y tebot. Syllodd i gyfeiriad yr ardd. Disgynnai'r glaw yn drwm. Roedd hynny'n iawn, meddyliodd Jim, am fod popeth yn edrych mor wyrdd ar ei ôl. Clywodd y tegell yn canu. Edrychodd ar yr olygfa eto. Roedd rhywbeth yn bod, meddyliodd. Oedd e wedi codi'n rhy fore? Doedd e ddim wedi canolbwyntio digon, efallai? Ai dyna beth oedd yn bod? Doedd e ddim yn siŵr beth oedd o'i le,

ond roedd rhyw ddarn ar goll yn y jigso. Arllwysodd y te a mynd â thri mŵg i'r llofft – un iddo fe, un i Pat ac un bach i Wizz.

"Mae rhywbeth yn bod," meddai Jim wrth Wizz. "Edrych ar yr ardd. Ond wn i ddim beth sy'n bod."

Roedd Wizz yn cysgu'n drwm ac yn anhapus bod ei thad wedi'i dihuno. Bu'n breuddwydio am fod ar gwch yng nghanol y môr a'i bod wedi gweld goleudy – ond faint bynnag a rwyfai, doedd hi ddim yn ymddangos ei bod hi'n agosái ato.

Aeth Jim i weld Pat.

"Pat, mae rhywbeth yn bod ar yr ardd ond fedra i ddim gweld yn iawn," meddai Jim.

Cysgai Pat fel twrch. Roedd hi wedi bod yn breuddwydio bod ganddi draed hwyaden. Ddaeth dim geiriau o'i cheg hi chwaith, dim ond sŵn

cwac, cwac, cwac yn union fel hwyaden go iawn.

"Cwac," meddai Pat wrth ddihuno.

"Beth?" gofynnodd Jim.

"Dim," meddai hi. "Dim ond breuddwyd."

"Pat, mae rhywbeth yn bod ar yr ardd,." meddai Jim.

Yna, sylweddolodd Jim beth oedd yn bod.

"Na!" gwaeddodd ef.

Roedd ffenestri'r tŷ gwydr wedi'u torri bob un.

Pennod 10
Pobl od

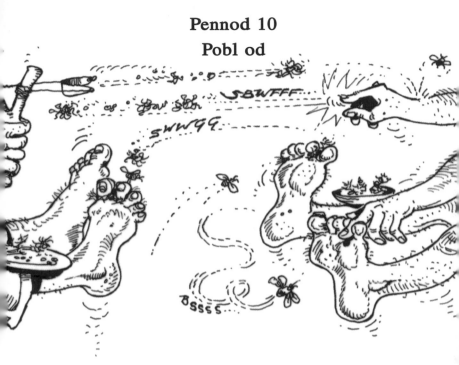

"Dyna ddysgu gwers i Mr Peraroglau a'i deulu La-di-da-di-da bach hapus," meddai Dêf. "Rhaid talu'r pris am fod yn wahanol."

"Pobl od," meddai Dyg. "Dydyn ni ddim yn eu hoffi."

Roedd y ddau yn cael hwyl wrth fflicio'r baw oedd wedi casglu rhwng bysedd eu traed at ei gilydd. Roedden nhw'n gwylio rhaglen *Fictor Ych a Fi* ar y teledu.

"Sawl sianel sydd i hwn?" gofynnodd Dyg.

"Wn i ddim," meddai Dêf.

"Ble mae'r teclyn newid sianeli?" gofynnodd Dyg.

"Wn i ddim," meddai Dêf. "Anghofion ni ei ddwyn e."

"Beth ddywedaist ti?" meddai Dyg.

"Dim ond un sianel sy 'da ni 'te," meddai Dêf.

"Be?" meddai Dyg. "Ti'n meddwl dweud wrtha i ein bod ni wedi dwyn teledu 42 modfedd ac wedi anghofio'r teclyn newid sianeli."

"Y lembo," gwaeddodd Dêf.

"Pants!" meddai Dyg.

"Ti'n weindio fi i fyny?" gofynnodd Dêf.

"Fel cloc," meddai Dyg.

Ar y gair, cododd Dêf a gafael yn y teledu newydd a'i daflu mas drwy'r ffenest.

"Iawn?" gofynnodd Dêf. "Ti'n hapus nawr?"

"Nac ydw," meddai Dyg. "Fydda i ddim yn hapus nes imi daflu'r radio newydd mas."

Cododd Dyg a thaflu'r radio newydd mas drwy'r ffenest arall.

"Iawn!" gwaeddodd Dyg. "Ti'n hapus nawr?"

"Nac ydw," meddai Dêf. "Fydda i ddim yn hapus nes imi dy daflu di mas."

Yna, cododd Dêf Dyg a'i daflu mas drwy'r ffenest.

"Aw!" meddai Dyg.

Glaniodd e ar rywbeth bach ei faint. Cododd Dyg y teclyn newid sianeli teledu.

"Dyma fe," meddai Dyg gyda gwên. "Y teclyn newid sianeli."

"Mae'n rhy hwyr nawr," meddai Dêf.

"O wel," meddai Dyg. "Teledu newydd yfory."

"Ymweliad arall â'r Peraroglau?" gofynnodd Dêf.

"Pam lai?" meddai Dyg.

Pennod 11
Ymweliad PC Fflat

"Oes gyda chi unrhyw syniad pwy wnaeth y difrod?" gofynnodd Cwnstabl Fflat ddeuddydd yn ddiweddarach.

"Fflat," meddai Jim. "Mae e'n odli gyda Pat – enw fy ngwraig."

"Fflat a Pat," meddai Wizz.

"Sdim ots am yr enw," meddai Cwnstabl Fflat. "Mae rhai ohonom eisiau dringo'r ysgol yrfa a gwneud enw da i ni ein hunain. I fyny bo'r nod."

"Oes 'na Mrs Fflat?" gofynnodd Pat.

"Dim amser i chwilio am Mrs Fflat, Pat," meddai Cwnstabl Fflat.

"I fyny bo'r nod," meddai Wizz.

"Yn hollol," meddai Cwnstabl Fflat. "Bydda i'n rhoi cant y cant o fy sylw i ddatrys y sefyllfa bresennol."

"I blesio eich penaethiaid?" gofynnodd Jim.

"I greu argraff dda ac i gyrraedd fy nharged ar ei ben," meddai Fflat.

"A beth yw eich targed?" gofynnodd Pat.

"Dal tri phwynt pump o ddrwgweithredwyr yr wythnos a'u cloi nhw yng nghelloedd dyfnaf Caerwennol," meddai Fflat.

"Sut gallwch chi ddal tri phwynt pump o ddrwgweithredwyr?" gofynnodd Wizz.

"Mae ffyrdd 'da ni," meddai Fflat.

Wrth ffarwelio â theulu Jim, fe ddywedodd y cwnstabl,

"Byddwch ar eich gwyliadwriaeth ddydd a nos – byddwch yn effro. Fe allai'r gelyn ymosod ar unrhyw adeg."

"Wrth gwrs," meddai Wizz.

"I fyny bo'r nod," meddai Cwnstabl Fflat.

Diflannodd mor sydyn ag y daeth.

Dychwelodd y cwnstabl mewn deg munud.

"Cwnstabl," meddai Pat. "Unrhyw ddatblygiadau?"

"Na, dim eto", meddai Fflat. "Newydd sylweddoli mod i wedi gadael fy mhastwn."

"A ble fyddai plismon heb ei bastwn?" gofynnodd Pat.

"Yn union," meddai Cwnstabl Fflat.

"I fyny –" meddai Fflat.

"… bo'r nod," atebodd Pat.

Pennod 12
Darllen y mesurydd

Pan ddaeth mam a thad Jamie i dŷ Wizz, roedd ganddyn nhw fwydydd gwahanol i'r teulu i'w blasu.

"Peidiwch â chymysgu'r peraroglau yma gyda'i gilydd," meddai Jamie. "Byddai gwneud yn beryglus iawn."

Yng nghanol y pryd bwyd, dywedodd Jamie stori am ei gefnder oedd yn darllen mesuryddion ar ran Nwy Cymru.

"Galwodd Rashie, fy nghefnder, yn nhŷ Dyg a Dêf Diawledig," meddai Jamie. "Roedden nhw'n dal yn y gwely."

"Bwrdd Nwy Cymru," gwaeddodd Rashie.

"Pwy?" gwaeddodd Dêf.

"Bwrdd Nwy Cymru!" gwaeddodd Rashie. "Dw i wedi dod i ddarllen y mesurydd."

"Dim diolch," meddai Dyg. "Mae digon o nwy 'da ni wrth dorri gwynt."

"Dewch yn eich blaenau," meddai Rashie. "Mae gen i alwadau eraill i'w gwneud."

Clywodd Rashie y ddau'n siarad yn dawel.

"Reit," meddai Dêf. "Fe fyddwn ni i lawr mewn chwinciad chwannen."

"Daeth y ddau i'r drws yn borcyn," meddai Rashie.

"Shwt ma'i?" meddai Dyg.

"Cangarŵs coch!" meddai Rashie. "Gwisgwch amdanoch, er mwyn y mawredd."

Erbyn hyn roedd pawb wrth y bwrdd yn llygadrythu ar Jamie.

"Doedden nhw ddim yn gwisgo dim byd?" gofynnodd Wizz.

"Dim un blewyn," meddai Jamie.

Aeth yntau yn ei flaen i adrodd rhagor o'r stori.

"Dewch i mewn, Mr Nwy," meddai Dêf.

"Dewch i mewn, Mr Torri Gwynt," meddai Dyg. "Mae'r mesurydd dan un o silffoedd y gegin."

"Roedd y drewdod yn y tŷ bron â bwrw Rashie yn fflat ar ei gefn," meddai Jamie. "Pan agorodd y cwpwrdd cafodd sioc ei fywyd. Yno, yn ei wynebu, roedd llygaid, trwyn, wisgars a cheg llygoden fawr."

"Haleliwia bananas," gwaeddodd Rashie. "Llygod mawr!"

"Neis, ontefe?" meddai Dêf. "Maen nhw'n neis iawn gyda sglodion."

"O'r nefoedd," meddai Rashie. "Dw i'n mynd i ddarllen y mesurydd ar fy union a dianc oddi yma."

Nododd Rashie y rhifau yn ei lyfr. Cododd a dweud ei fod yn mynd.

"Faint fydd y bil?" gofynnodd Dêf.

"Bydda i'n synnu os na fyddwch chi yn y coch unwaith eto," meddai Rashie.

"Ry'n ni'n credu mai chi fydd yn y coch," meddai Dyg.

"Ar hynny, taflodd y ddau dun paent coch yr un dros Rash," meddai Jamie.

Pennod 13
Targedau Fflat

Doedd siartiau a ffigurau PC Fflat ddim yn ymddangos yn dda.

"Beth sy'n digwydd, Fflat?" gofynnodd y rhingyll. "Pan oeddwn i eich oedran chi roeddwn i'n dal drwgweithredwyr ac yn eu carcharu nhw – p'un ai os oedden nhw'n euog neu beidio."

Roedd Fflat wedi gwirioni ar graffiau ac ystadegau.

"Dyw ystadegau ddim yn mynd i gael dyrchafiad i ti," meddai'r rhingyll. "Allan yn monitro, yn casglu tystiolaeth, ychydig ar y tro – dyna sut mae'i gwneud hi."

Penderfynodd Cwnstabl Fflat ymateb i'r alwad – ar ganiad y corn gwlad, fel petai. Byddai'n mynd draw i ymweld â theulu Jim Pob Dim ac yn dod i'w nabod yn well. Neidiodd ar ei feic.

Pennod 14
Y lladrad

"A-ha Cwnstabl Fflat," meddai Jim. "Chi sy yna. Oes na ddatblygiadau hyd yn hyn?"

"Ddim eto, gwaetha'r modd," meddai'r cwnstabl. "Ond ma' fy nghlust yn agos i'r ddaear, ac mae fy meddwl i'n troi a throi wrth drio dod o hyd i'r drwgweithredwyr."

Daeth Fflat i mewn i'r tŷ.

"A-ha Fflat," meddai Pat.

"Pat," meddai Fflat.

"Paned o de organig?" gofynnodd Pat.

"Diolch," meddai'r cwnstabl. "Meddwl yr o'n i, pam ddylai rhywun gymryd yn eich erbyn chi fel hyn?"

*

Tra oedd y cwnstabl yn sgwrsio â phawb, roedd Dyg a Dêf wrthi'n torri i mewn i dŷ Jim Pob Dim.

"Ble mae'r teledu?" gofynnodd Dêf.

"Wn i ddim," meddai Dyg. "Mae ganddyn nhw deledu, siŵr o fod."

"Glywsoch chi sŵn nawr?" gofynnodd Wizz.

"Gwichian y grisiau, mae'n siŵr," atebodd Fflat.

"Ble mae'r blincin teledu?" gofynnodd Dêf.

"Does bosib nad oes gan y ferch deledu yn ei hystafell wely?"

"Beth sy ganddi?" gofynnodd Dyg.

"Llyfrau," meddai Dêf. "Silffoedd ar silffoedd o lyfrau. Beth yw gwerth llyfrau?"

Aeth Dêf a Dyg i bob stafell lan lofft i chwilio am deledu.

"Cryno-ddisgiau sy gan y mwnci yn ei stafell wely," meddai Dêf. "Llyfrau garddio sy 'da hi."

"Does dim byd yma sy'n werth ei gymryd," meddai Dyg.

"Siom," meddai Dêf.

"Siom ofnadwy," meddai Dyg.

"Iesgob," meddai Dêf. "Dw i newydd sylwi ar gar heddlu. Maen nhw yma, yn y tŷ."

Yn sydyn, canodd y ffôn lan lofft.

"Sh!" meddai Dyg.

"Ust!" meddai Dêf.

"Y ffôn," meddai Wizz.

"Ateb y ffôn, Wizz," meddai Jim.

Roedd gan deulu Jim Pob Dim ddau ffôn – un lan lofft a'r llall lawr llawr.

"Sut fedrwn ni dewi'r ffôn?" gofynnodd Dêf. "Ei daflu tuag at y wal?"

"Ateb yr alwad," meddai Dyg. "Dyna sut mae ei dewi. Ateb yr alwad."

Cododd Dêf y derbynnydd.

"Ie?" meddai.

Tra roedd Wizz hanner ffordd i ateb y ffôn, distawodd y ffôn lawr llawr.

"Dyna od," meddai Wizz. "Mae'r ffôn wedi tewi."

"Rhif anghywir, efallai," meddai Fflat.

"Ie, efallai," meddai Pat.

"Be 'dych chi eisiau?" gofynnodd Dêf.

"Ga i siarad â Mr Ferago," meddai. "Ysgrifenyddes *Y Cymro* sy'n siarad."

"Y papur newydd?" gofynnodd Dêf.

"Ie," meddai hi. "Ai Jim sy'n siarad nawr?"

Doedd Dêf ddim yn siŵr sut i ymateb. Yna, penderfynodd ymateb yn bositif.

"Ie, Jim sy 'ma," meddai Dêf.

"Wel, mae'n bleser gen i ddweud ..."

Roedd Wizz yn llawn chwilfrydedd. Pwy oedd

ar ben arall y ffôn? Pam tawodd y ffôn bron yn syth? Roedd hi wedi clywed synau hefyd.

Cododd y ffôn yn dawel. Gwrandawodd ar y sgwrs anhygoel:

"Rydych chi wedi ennill gwyliau"" meddai'r ysgrifenyddes.

"Gwyliau i le?" meddai Dêf. "Twll ym mhen draw'r byd, mae'n siŵr?"

"Dyna'r wobr yng nghystadleaueth y croesair, Mr Ferago," meddai'r ysgrifenyddes.

"Dad, mae 'da ni bobl yn y tŷ ac maen nhw lan lofft," meddai Wizz.

"Sut gwyddost ti hynny?" gofynnodd Jim.

"Maen nhw'n siarad â rhywun sy'n cynnig gwyliau i ni," meddai Wizz.

"Malwod mawr!" gwaeddodd Dêf. "Maen nhw'n gwybod ein bod ni yma."

"Sut gwyddost ti hwnnw?" gofynnodd Dyg.

"Dw i newydd glywed y sguthan yn dweud wrth ei thad ein bod ni yma," meddai Dêf.

"Arhoswch lle rydych chi!" meddai Fflat wrth ddringo'r grisiau fesul tri ar y tro. Ond roedd Dyg a Dêf llawer yn rhy gyflym i'r plismon. Rhedodd y ddau drwy'r ffenest. Yn anffodus, anghofion nhw eu bod nhw lan lofft.

"Mami!" gwaeddodd Dêf.

"Dadi!" gwaeddodd Dyg wrth ddianc.

Dringon nhw dros y wal uchel, ond cafodd trowsus Dyg ei ddal gan hoelen. Meddyliodd fod Cwnstabl Fflat wedi'i ddal. Cymaint oedd ei benderfyniad i ddianc nes iddo rwygo'i drowsus yn ddarnau mân. Dim ond ei ben-ôl allai Fflat ei weld wrth iddo ddianc. Tynnodd lun ohono gyda'i gamera digidol.

Pennod 15
Tystiolaeth

"Beth yw hwn?" gofynnodd y rhingyll.

Taflodd Fflat y llun ar ei fwrdd.

"Tystiolaeth," meddai Fflat.

"Tystiolaeth!" rhuodd y rhingyll. "Wyt ti'n sylweddoli mai ni yw testun sbort y byd."

"Ond ry'n ni'n gwybod sut fath o ben-ôl sy 'da'r lleidr erbyn hyn," meddai Fflat.

"Mae un pen-ôl yn debyg i'r llall," meddai'r rhingyll.

"A-ha," meddai Fflat. "Ond nid pob pen-ôl sy â thatŵ o fenyw o'r enw Mami arno."

Syllodd y rhingyll ar y llun. Estynnodd Fflat ei chwyddwydr i'r rhingyll.

"Da iawn, Fflat," meddai'r rhingyll. "Tystiolaeth o'r diwedd."

"I fyny bo'r nod," meddai Fflat.

"Yn union," meddai'r rhingyll.

Pennod 16
Dwy foch goch

"Mae'r heddwas melltigedig 'na wedi tynnu llun o dy ben-ôl," meddai Dêf. "Ac maen nhw'n gwybod fod gen ti datŵ o Mam yno."

"O'r nefoedd," meddai Dyg. "Does dim amdani, rhaid inni gael gwared ar y tatŵ."

"Ond sut?" gofynnodd Dêf. "Fedri di ddim mynd yn ôl i'r siop datŵs. Mae'r perchennog yn siŵr o ddarllen y papurau ac fe fydd yn rhoi dy enw i'r heddlu er mwyn cael ei fachau ar y wobr ariannol."

"Dim ond un ffordd sydd i gael gwared armo," meddai Dêf. "Ei olchi."

"O na," meddai Dyg. "Dŵr a sebon. Dw i'n eu casáu."

Bu'n rhaid i Dêf olchi pen-ôl ei frawd am oriau.

"Ydy e'n diflannu?" gofynnodd Dyg.

"Nac ydy," meddai Dêf. "Os rhywbeth, mae dy ben-ôl yn fwy gloyw nag arfer."

Yn wir, roedd pen-ôl Dyg yn un llachar iawn erbyn diwedd y pnawn.

Pennod 17
Drannoeth y Ffair

Daeth y mis i ben a doedd Cwnstabl Fflat ddim wedi cyrraedd yr un targed eto.

Petrusodd Jim ychydig wrth lwytho'r fan. Roedd e am fynd i Gaerwennol – i'r farchnad ger yr afon. Cofiodd i'r ddau ddihiryn wneud eu gorau glas i'w ddiflasu. Ond roedd yn rhaid cofio am Wizz. Roedd yn rhaid iddo osod esiampl iddi a dangos nad oedd y dihirod wedi cael y gorau arno.

"Caiff Jamie ddod?" gofynnodd Wizz. "Mae ganddo ei beraroglau arbennig ei hun i'w gwerthu."

Gwyddai Jim na fedrai cadw dim oddi wrth ei wraig,Pat, a'i fod wedi dangos ei nerfusrwydd iddi mewn sawl ffordd.

"A finnau," meddai Pat. "Ga i ddod?"

Doedd Jim ddim am wrthod unrhyw gefnogaeth. Canodd cloch y drws.

"Cer i agor y drws," meddai Pat wrth Wizz.

"Miss Ferago," meddai'r cwnstabl. "Cwnstabl Fflat at eich gwasanaeth."

"Sut ga i'ch helpu?" gofynnodd Wizz.

Roedd arwydd o ddryswch ar wyneb y cwnstabl.

"Wn i ddim," meddai Fflat. "Dw i wedi anghofio'n llwyr."

"Ydych chi eisiau dod draw i farchnad foreol Caerwennol?" gofynnodd Wizz.

"Dyna'n union lle y dylwn i fod," meddai Fflat.

"Yn cuddio dan y stondin er mwyn dal y ddau ddrwgweithredwr?" gofynnodd Wizz.

"Dyna ni, Miss Ferago," meddai Fflat. "Yn cuddio'n *incognito*."

Pennod 18
Moddion Dyg a Dêf

Croesawyd Jim, Pat, Wizz a Jamie gan berchenogion y stondinau eraill. Teimlai Jim yn well o lawer o'u cael yno. Roedd e ar dir ei hunan gyda chyfeillion roedd yn nabod yn dda. Roedd e bron yn dymuno gweld y ddau rapsgaliwn yn dod i wneud eu gwaethaf.

Ac ar y gair, daeth Dyg a Dêf Diawledig ar feiciau i lawr y stryd. Roedden nhw wedi'u dwyn o siedau y tu cefn i'r tŷ cyfagos.

"Mae gwneud hyn mor hawdd â thoddi pelen eira o flaen y tân," meddai Dêf.

"Mor hawdd â damsang ar draed babi," meddai Dyg.

"'Drycha, maen nhw yma i gyd," meddai Dêf. "Y teulu cyfan a'i ffrind bach gwahanol."

"Mwy inni eu bygwth," meddai Dyg. "Mwy i'w dychryn."

Daeth y ddau ddihiryn draw i gyfeiriad stondin Jim Pob Dim.

"Wel, dyma Mr a Mrs Perlysiau," meddai Dyg. "Mr a Mrs La-di-da-di-da gyda Miss La-di-da-di-da."

"Ac mae ganddyn nhw ffrind bach o dramor," meddai Dêf. "Mae e wedi dod ar gefn gwennol hud, mae'n debyg."

"Eisiau trio eich meddyginiaethau," meddai Dêf. "I weld a oes modd ein gwella arnon ni."

"Tipyn bach o hwn a thipyn bach o'r llall," canodd Dyg.

Roedd Cwnstabl Fflat dan y stondin yn cuddio. Medrai glywed pob gair oedd yn cael ei ddweud.

"Na," meddai Pat. "Fedrwch chi ddim."

"Pwy sy'n dweud na fedrwn ni ddim," meddai Dêf. "Ni sy'n berchen ar y rhain nawr."

Roedd hi'n rhy hwyr. Llyncodd y ddau berlysiau a moddion di-ri.

"Mae'n beryglus," protestiodd Jim.

Yn sydyn, safodd Cwnstabl Fflat ar ei draed.

"Reit, dw i'n eich arestio chi am fygwth a dwyn oddi ar deulu Jim Pob Dim," meddai Fflat.

Ond cymerodd Dyg na Dêf ddim mymryn o sylw ohono. Roedd ei hwynebau'n troi yn wahanol liwiau.

58

"Beth sy'n bod arna i?" gofynnodd Dêf.

"Dw i'n teimlo'n andros o sâl," meddai Dyg.

Dechreuodd y ddau bustachu a pheswch yn uchel. Roedden nhw'n peswch cymaint nes i'r grym eu taflu i'r awyr fel hwyaid ar dân.

"Dw i'n llosgi," llefodd Dêf.

"Dw i ar dân," llefodd Dyg.

Parhaodd y neidio a'r ffraeo am amser hir ar ôl iddyn nhw gael eu rhoi nhw mewn cell. Bu'r raid i'r ddau wisgo helmedau er mwyn diogelu eu pennau rhag taro'r nenfwd.

Pennod 19
Uzbekistan

"Cyrhaeddodd y tocynnau drwy'r post," meddai Jim. "Cael a chael oddi hi."

"Uzbekistan," meddai Pat. "Pen draw'r byd."

"Pen draw'r byd," ebe Wizz. "Ond un peth sy'n sicr, mae pethau wedi'u datrys yn y ffordd fwyaf naturiol."

"Y mae i bob gweithred ei hadwaith," meddai Pat.

Canodd cloch y drws.

"Cwnstabl Fflat," meddai Wizz.

"Cywiriad, Rhingyll Fflat, os gwelwch yn dda," meddai Fflat.

"Llongyfarchiadau Rhingyll Fflat," meddai Wizz. "Sut gallwn ni eich helpu?"

"Dw i wedi anghofio'n llwyr," meddai Fflat.

"Ai chi yw ein tacsi i Faes Awyr Caerwennol?" gofynnodd Wizz.

"Yr union beth," meddai Fflat.

Roedd y cesys yn barod. Canodd y gloch eto. Agorodd Wizz y drws.

"Jamie?" gofynnodd Wizz.

"Yma ac yn bresennol," meddai Jamie. "Mae'r cyfarwyddiadau dyfrhau gen i, Mrs Ferago. Ac mae gen i newyddion gwych!"

"Ydych chi'n gallu aros yn y wlad?" gofynnodd Wizz. "Ydych chi'n gallu bod yn Gymry go iawn?"

"Ydyn," meddai Fflat. "Fe lwyddodd Jamie a'i berlysiau i ddal Dyg a Dêf. O achos hynny, maen nhw wedi profi eu bod nhw'n ddinasyddion da."

"Mae llun Dyg a Dêf Drygionus ar dudalen flaen *Y Cymro*," meddai Pat.

Dangosodd y llun o'r ddau yn gwisgo helmedau ac yn methu peidio pheswch. Chwarddodd pawb.

"Cawn ni barti mawr ar ôl inni dychwelyd o'n gwyliau," meddai Jim. Jim Pob Dim.